CW00818957

Friggitrice ad Aria per Principianti

Nuove Ricette tutte Italiane per Preparare in Modo Salutare i Tuoi Cibi Preferiti Impiegando solo 5 min. Inclusi 21 Consigli per Ottenere la Frittura Perfetta

DAFNE BIANCO

Disclaimer:

Si prega di notare che il contenuto di questo libro è esclusivamente per scopi educativi e di intrattenimento. Ogni misura è stata presa per fornire informazioni accurate, aggiornate e completamente affidabili. Non sono espresse o implicate garanzie di alcun tipo. I lettori riconoscono che il parere dell'autore non è da sostituirsi a quello legale, finanziario, medico o professionale.

Sommario

—

6

Introduzione

Se pensiamo ogni giorno al buon cibo, e soprattutto a quale cibo o a quali ricette siano in assoluto le più gustose, non si può di certo non fare riferimento alle fritture.

Cosa c'è di più buono di un piatto di patatine fritte?

Il problema sorge, come ben noto, quando si pensa che la frittura, soprattutto se abusata, non è sicuramente una buona alleata della salute, ed in modo particolare non è tra le scelte principali utili al perseguimento di un'alimentazione sana e allo smaltimento dei chili in eccesso.

Dopo questa premessa, adesso ci si chiede, se esiste una soluzione che unisca il piacere del cibo fritto al mantenimento di un regime alimentare sano, senza grassi in eccesso...

—

La risposta a questo dilemma sembra si stata creata appositamente.

Uno dei maggiori progressi riguardanti, infatti, l'ambito alimentare, culinario e tecnologico è stato proposto da un'invenzione piuttosto recente.

Stiamo parlando proprio della friggitrice ad aria.

Questa nuova invenzione permette in pratica di friggere senza olio, ma di ottenere lo stesso risultato della frittura ad olio, mediante un getto d'aria molto caldo.

Ciò significa, quindi, che i cibi che si andranno a preparare con la friggitrice ad aria risulteranno, così come quelli fritti normalmente, in pratica croccanti fuori e morbidi dentro.

Essendo il mercato fornito di diversi tipi di friggitrici ad aria, di differenti tipi di resistenza elettrica, è possibile quindi variare cotture e tipi di piatti che verranno portati a tavola.

Capitolo 1 - Consigli pratici per l'utilizzo della friggitrice ad aria

21 consigli e trucchetti per utilizzare al meglio la vostra friggitrice ad aria

Arrivati a questo punto della trattazione, siamo perfettamente a conoscenza di cosa sia una friggitrice ad aria, su quale sia il funzionamento e la sua manutenzione per consentirne la longevità.

Se nel secondo capitolo vi è stato proposto un elenco di errori da evitare nell'impiego di questo piccolo elettrodomestico, di seguito vi saranno elencate 21 *tips* che vi indicheranno come impiegarla al meglio.

1. **Se volete ottenere delle patatine fritte perfette**

   Se volete ottenere delle patatine fritte perfettamente dorate e croccanti immergetele precedentemente (già tagliate) nell'acqua fredda per 20 minuti circa. Dopo asciugatele e cospargetele con poco olio prima di inserirla nella friggitrice ad aria

2. **Per prevenire accumulo di vapore durante la cottura**

   Per ovviare a questo inconveniente, assicuratevi di asciugare perfettamente i vostri ingredienti prima di inserirla nella vostra friggitrice

3. Per una cottura omogenea e ottimale di dolci e biscotti

Quando decidete di cucinare dei dolci con la vostra friggitrice ad aria non dimenticate di coprirli con un coperchio o con la carta alluminio affinché non si bruci la parte superiore del dolce. Sarebbe inoltre ideale, per cucinare i dolci con la friggitrice ad aria acquistare uno stampo d'acciaio o antiaderente. Meglio evitare quindi, stampi in silicone o usa e getta

4. Controllare sempre la cottura dei cibi

Poiché ogni friggitrice ad aria varia in base alle proprie specifiche caratteristiche, si consiglia di valutare empiricamente e confrontare le varie cotture man mano che la si impiega. A maggior ragione, durante i primi utilizzi, verificate sempre la temperatura di cottura.

5. Verificare il tempo di cottura

Come già detto sopra, ogni friggitrice ad aria ha caratteristiche che le accomunano ma anche alcune che differiscono l'una dall'altra, pertanto è opportuno verificare il tempo di cottura di ogni singolo piatto e aggiungere o togliere i minuti le volte successive.

6. Preriscaldare la friggitrice

È risaputo che qualsiasi ingrediente che impieghiamo nelle nostre ricette (per essere cotto al meglio) debba essere, la maggior parte delle volte, preriscaldato. Quindi, le nostre friggitrici andrebbero preriscaldate per ottenere una cottura uniforme. Se la friggitrice ad aria non ha un'impostazione di preriscaldamento, basta settarla alla temperatura desiderata e lasciarla funzionare per circa 3 minuti prima di inserire il direttamente cibo in essa.

7. Utilizzare un po' d'olio per ottenere piatti croccanti

Se il vostro cibo ha già un po' di grasso naturale (come la carne di pollo, la carne di manzo macinata e tagli di carne grassi, ecc.), allora probabilmente non avete bisogno dell'olio. Mentre se si tratta di verdure, o di cibi asciutti, è consigliabile un cucchiaino d'olio per fare in modo che raggiungano la croccantezza ideale.

8. Ungete anche il cestino della vostra friggitrice ad aria

Anche se il vostro cibo non richiede olio, prendetevi sempre un momento per ungere (giusto un pochino) il cestino della friggitrice ad aria. Potete farlo strofinando, o spruzzando, un po' d'olio sulle griglie del fondo. Questo farà in modo che il vostro cibo non si attacchi

9. Spruzzate un po' d'olio a metà cottura

Spruzzando l'olio a metà cottura si ottiene un risultato di maggiore croccantezza dei vostri cibi

10. Non eccedete con gli ingredienti

Questo era già stato menzionato come errore da evitare. Se volete che i vostri cibi fritti risultino croccanti, dovete fare sempre attenzione a non sovraccaricare il cestino. Per evitare cotture poco uniformi, inoltre, cucinate il vostro cibo in lotti diversi e, se la faccenda diventa costante, investite in una friggitrice ad aria più grande

11. Scuotere il cestino per ottenere cotture uniformi

Quando si friggono oggetti più piccoli, come ali di pollo, patatine fritte etc., si dovrà agitare il cestino ogni tanto per garantire una cottura uniforme.
Una volta aperto il cestino da scuotere, la friggitrice ad aria si metterà temporaneamente in pausa, ma riprenderà a cuocere il cibo alla stessa temperatura una nel momento in cui inseriremo nuovamente il cestello.

12. Utilizzare un termometro a temperatura rapida per la cottura delle carni

Questo è un consiglio valido non solo per la cottura con friggitrice ad aria ma per qualsiasi modo in cui decidiate di cucinare la carne.

Avere un termometro a lettura rapida di buona qualità è di fondamentale importanza quando si tratta di cucinare certi tipi di carni.

13. Trucchi per evitare che fuoriesca fumo bianco

Se dalla vostra friggitrice ad aria fuoriesce del fumo bianco (come vi abbiamo già indicato in precedenza) probabilmente avete ecceduto con l'olio.
Sarà sufficiente, in questo caso, fermare la cottura e cercare di pulire l'olio in eccesso.

14. Evitate di mettere liquidi all'interno del cestello

Se dovete cucinare del pesce al cartoccio, per esempio, cercate di mettere tutti i componenti liquidi della marinatura all'interno dell'alluminio che conterrà la proteina.

15. Memorizza il preset della ricetta che ti piace

Nel momento in cui troviate (anche all'interno di questo libro) una ricetta che vi piace e, dopo averla provata, vi rendiate conto che venga cotta perfettamente, potete impostarla nel *preset* della vostra friggitrice ad aria. Ciò significa memorizzare timer e temperatura in modo da facilitarvi nel cucinarla la volta successiva.

16. Seguite le ricette ma adattatele al vostro contesto

Ricordatevi di rispettare le porzioni e le indicazioni delle ricette, anche se, come già detto sopra, potete verificare empiricamente tempi e temperature di cottura se non corrispondono perfettamente.

17. Aria e spazio per la vostra friggitrice

È importantissimo ricordare che la friggitrice deve poter prendere una quantità di aria sufficiente per un corretto funzionamento, quindi premuratevi di riporla in uno spazio sufficientemente ampio.

18. Investite in una friggitrice a capienza maggiore se cucinate per molte persone

La maggior parte delle friggitrici ad aria ha una capacità di 3 litri, che vi consente di cucinare cibi di una capienza per 4 persone circa. Se dovete cucinare per molte più persone, o avete occasioni in cui dovete cucinare molte quantità di cibo, il miglior consiglio è quello di comprare una friggitrice ad aria con maggior capacità e grandezza.

19. Scegliete la potenza della friggitrice d'aria più bassa se non volete un grosso dispendio energetico

Generalmente, è possibile acquistare friggitrici che sfruttano una potenza massima di 1400 Watt (o poco superiore) che comunque assicurano affidabilità, sicurezza e garanzie sul funzionamento di ogni parte meccanica dello strumento. Essendo più bassa la potenza, non avrete un grosso dispendio energetico.

20. Acquistate dei kit di accessori extra se volete sbizzarrirvi con le ricette

Sul mercato potete trovare anche *kit* di accessori utili per la cottura di cibi dolci e salati, come ad esempio: tortiere con cerniera, girarrosto, teglia per pizza, e molto altro.

21. A proposito di torte e dessert

Per concludere il discorso dei consigli, ve ne vogliamo indicare un ultimo che riguarda i dessert ed in modo particolare le torte. Partite sempre da una temperatura più bassa per cuocerle (oltre che ricoprirle, come detto prima) di massimo 160 gradi. A cottura ultimata aumentare di 180 gradi (gli ultimi 5 minuti) per ottenere una cottura perfettamente croccante all'esterno e morbida all'interno.
Avendo concluso il discorso sui consigli, e quindi sulla parte teorica della friggitrice possiamo parlare alla parte pratica con tutte le ricette che potete cucinare con questo innovativo strumento da cucina.

Capitolo 2 - Ricette per la colazione

Tortine ai mirtilli

TEMPO DI PREPARAZIONE: 15 minuti

TEMPO DI COTTURA: 10 minuti

CALORIE: 311 calorie a porzione

MACRONUTRIENTI: CARBOIDRATI 43 GR; PROTEINE 5 GR; GRASSI 12 GR

INGREDIENTI PER 4 TORTINE

- 1 uovo

- 75 gr di zucchero
- 130 gr di farina per dolci
- 100 ml di latte
- 25 gr di mirtilli freschi
- 50 gr di burro
- Mezza bustina di lievito per dolci
- 1 bustina di vanillina

PREPARAZIONE

1. In una ciotola mettete le uova e lo zucchero. Lavoratele con una frusta elettrica fino ad ottenere un composto chiaro, quasi bianco, e gonfio.
2. Aggiungete un po' di farina facendola cadere da un setaccio a maglie fitte e iniziate a mescolare con una spatola.
3. Adesso aggiungete un po' di latte e continuate a mescolare.
4. Continuate l'alternanza farina latte, fino a quando non si saranno esauriti entrambi gli ingredienti.
5. Fate sciogliere il burro nel microonde. Aggiungetelo a filo al composto di farina e uova.
6. Incorporate il lievito, i mirtilli e la vanillina sempre continuando a mescolare.
7. Imburrate gli stampi per muffin e poi versate ¾ di composto in ogni stampo.
8. Sbattete un po' gli stampi in modo da distribuire uniformemente il composto.

9. Mettete gli stampi direttamente nel cestello e impostate la friggitrice a 200° per 6 minuti con il programma torte.
10. Passati i 6 minuti abbassate a 180° e finite la cottura per altri 4 minuti.
11. Serviteli ancora caldi.

Tortine al mango

TEMPO DI PREPARAZIONE: 20 minuti

TEMPO DI COTTURA: 12 minuti

CALORIE: 282 calorie per tortina

MACRONUTRIENTI: CARBOIDRATI: 46 GR; PROTEINE: 3 GR; GRASSI :6 GR

INGREDIENTI PER 6 TORTINE

- 2 manghi da 300 gr ciascuno
- 125 gr di farina per dolci
- 1 cucchiaino di lievito per torte
- 1 bustina di vanillina
- 1 pizzico di bicarbonato di sodio
- 65 gr di zucchero semolato
- 40 ml di olio di oliva
- 125 gr di yogurt bianco
- 75 gr di zucchero a velo

PREPARAZIONE

1. Iniziate con il pulire i manghi. Lavateli, poi privateli della buccia, tagliateli a metà ed estraete il nocciolo. Poi tagliate la polpa a dadini.
2. In una ciotola mettete gli ingredienti secchi, cioè la farina, il lievito, la vanillina e il bicarbonato. Mescolateli con una spatola o con un cucchiaio di legno.

3. In un'altra ciotola mettete assieme le uova, lo zucchero, l'olio e lo yogurt. Sbattete il tutto con una frusta elettrica fino ad ottenere un composto liscio ed omogeneo.

4. Adesso aggiungete al composto di uova la polpa di mango e mescolate assieme il tutto con una spatola.

5. Versate il composto di uova nel mix di farina mescolando per amalgamare bene il tutto.

6. Mettete dei pirottini negli stampi per muffin e distribuite uniformemente l'impasto in tutti i pirottini.

7. Mettete gli stampi nel cestello della friggitrice ad aria.

8. Impostate la friggitrice a 170° per 10 minuti con la funzione torte.

9. Passati i 10 minuti controllate con uno stuzzicadenti la cottura, se risulta ancora umido continuate la cottura per altri 2 minuti o fino a quando lo stuzzicadenti non risulti asciutto.

10. Nel frattempo che le tortine si cuociono, mescolate lo zucchero a velo con dell'acqua fino ad ottenere un composto liscio e liquido.

11. Sfornate le tortine e decoratele con la glassa di zucchero a velo e con delle gocce di cioccolato.

Tortine all'albicocca

TEMPO DI PREPARAZIONE: 15 minuti

TEMPO DI COTTURA 12 minuti

CALORIE :266 calorie per tortina

MACRONUTRIENTI: CARBOIDRATI: 22 GR; PROTEINE: 3 GR; GRASSI :18 GR

INGREDIENTI PER 6 TORTINE

- 120 gr di albicocche sciroppate
- 45 gr di farina integrale
- 105 gr di farina per torte
- 1 cucchiaino di lievito per dolci
- Un pizzico di bicarbonato di sodio
- 1 cucchiaino di cannella in polvere
- 1 uovo
- 70 gr di zucchero di canna
- 40 ml di olio
- 120 gr di panna fresca
- 35 gr di burro ammorbidito

PREPARAZIONE

1. Versate le albicocche in un colino in modo che buttino tutto lo sciroppo. Mettetene da parte una che servirà per la decorazione.
2. Mettete in una ciotola le due farine, il lievito per dolci, il bicarbonato e la cannella e mescolate il tutto con una spatola.

3. In un'altra ciotola mettete l'uovo. Sbattetelo con una frusta elettrica. Adesso aggiungete lo zucchero di canna, l'olio e la panna. Continuate a sbattere con la frusta elettrica fino ad amalgamare il tutto.

4. Fate a pezzettini le albicocche e aggiungetele alle uova. Mescolate il tutto molto delicatamente.

5. Aggiungete le farine all'uovo e amalgamate con la frusta, facendo attenzione a non far formare grumi.

6. Mettete dei pirottini negli stampi per muffin e distribuite uniformemente l'impasto in tutti i pirottini.

7. Mettete gli stampi nel cestello della friggitrice ad aria.

8. Impostate la friggitrice a 170° per 10 minuti con la funzione torte.

9. Passati i 10 minuti controllate con uno stuzzicadenti la cottura, se risulta ancora umido continuate la cottura per altri 2 minuti o fino a quando lo stuzzicadenti non risulti asciutto.

10. Guarnite le tortine con l'albicocca tagliata a fettine e spolverizzate con lo zucchero a velo.

Tortine alla vaniglia

TEMPO DI PREPARAZIONE: 15 minuti

TEMPO DI COTTURA: 12 minuti

CALORIE: 222 calorie per tortina

MACRONUTRIENTI: CARBOIDRATI: 25 GR; PROTEINE:3 GR; GRASSI: 12 GR

INGREDIENTI PER 6 TORTINE

- 50 gr di burro ammorbidito a temperatura ambiente
- 75 gr di zucchero semolato
- 1 bustina di vanillina
- 1 uovo
- 1 tuorlo
- 90 gr di farina per dolci
- Mezzo cucchiaino di lievito per dolci
- 75 ml di panna da montare
- Un pizzico di sale

PREPARAZIONE

1. Iniziate con il mettere il burro, lo zucchero e la vanillina in una ciotola. Sbattete il tutto con una frusta elettrica fino a quando non otterrete un composto vaporoso.
2. Adesso incorporate l'uovo e continuate a sbattere. Appena si sarà ben amalgamato aggiungete il tuorlo sempre continuando a sbattere.
3. In un'altra ciotola mescolate assieme la farina, il lievito e un pizzico di sale.
4. Poi incorporateli al composto con il burro alternandoli alla panna, sempre continuando a sbattere fino all'esaurimento di tutti gli ingredienti.

5. Mettete 6 pirottini negli stampi per muffin. Posizionate gli stampi nel cestello della friggitrice e impostatela a 170° per 10 minuti con la funzione torte.

6. Passati i 10 minuti controllate con uno stuzzicadenti la cottura, se risulta ancora umido continuate la cottura per altri 2 minuti o fino a quando lo stuzzicadenti non risulti asciutto.

7. Sfornate e servite spolverizzati di zucchero a velo e zuccherini colorati.

Tortine arance e mandorle

TEMPO DI PREPARAZIONE: 15 minuti

TEMPO DI COTTURA: 12 minuti

CALORIE: 246 calorie per tortina

MACRONUTRIENTI: CARBOIDRATI: 32 GR; PROTEINE: 4 GR; GRASSI: 14 GR

INGREDIENTI PER 6 TORTINE

- 125 gr di farina per dolci
- 25 gr di buccia di arancia candita
- 25 gr di buccia di limone candita
- 40 gr di mandorle sbucciate
- 1 cucchiaino di lievito per torte
- 1 bustina di vanillina
- Un pizzico di bicarbonato di sodio
- 65 gr di zucchero semolato.
- 70 gr di yogurt greco bianco
- 40 ml di olio di oliva
- 75 ml di succo di arancia

PREPARAZIONE

1. Mettete nel mixer le mandorle, pelate e tritatele molto grossolanamente.

2. In una ciotola mettete assieme le mandorle tritate, la farina, le scorze di arancia e limone, il lievito, la vanillina e il bicarbonato. Mescolate e amalgamate il tutto con una spatola.

3. In un'altra ciotola sbattete l'uovo con una frusta. Aggiungete lo zucchero, lo yogurt, l'olio, e il succo di arancia e mescolate il tutto sempre con la frusta, elettrica o manuale.

4. Quando gli ingredienti saranno ben amalgamati potete aggiungere il misto di farina. Mescolate bene con una spatola fino ad ottenere un composto omogeneo e privo di grumi.

5. Mettete dei pirottini negli stampi per muffin e distribuite uniformemente l'impasto in tutti i pirottini.

6. Mettete gli stampi nel cestello della friggitrice ad aria.

7. Impostate la friggitrice a 170° per 10 minuti con la funzione torte.

8. Passati i 10 minuti controllate con uno stuzzicadenti la cottura, se risulta ancora umido continuate la cottura per altri 2 minuti o fino a quando lo stuzzicadenti non risulti asciutto.

9. Servite caldi decorati con marmellata di arance e mandorle tagliate a lamelle sottili.

Tortine cioccolato e more

TEMPO DI PREPARAZIONE: 15 minuti

TEMPO DI COTTURA: 12 minuti

CALORIE: 214 calorie per tortina

MACRONUTRIENTI: CARBOIDRATI: 28 GR; PROTEINE: 5 GR; GRASSI: 9 GR

INGREDIENTI PER 6 TORTINE

- 125 gr di farina per dolci
- 1 cucchiaino di lievito per dolci
- 1 pizzico di bicarbonato
- 1 bustina di vanillina
- 1 cucchiaio di cacao in polvere
- 1 uovo
- 60 gr di zucchero semolato
- 40 ml di olio di oliva
- 175 gr di yogurt bianco
- 50 gr di more.

PREPARAZIONE

1. In una ciotola mettete la farina, il lievito, il bicarbonato, il cacao e la vanillina.
2. Mescolate il tutto con una spatola.
3. Sbattete l'uovo con una frusta elettrica. Poi aggiungete lo yogurt, lo zucchero e l'olio di oliva e continuate a sbattere con la frusta elettrica.

4. Unite il composto alla farina mescolando bene fino ad ottenere un composto omogeneo e privo di grumi.

5. Mettete dei pirottini negli stampi per muffin e distribuite uniformemente l'impasto in tutti i pirottini.

6. Mettete gli stampi nel cestello della friggitrice ad aria.

7. Impostate la friggitrice a 170° per 10 minuti con la funzione torte.

8. Passati i 10 minuti controllate con uno stuzzicadenti la cottura, se risulta ancora umido continuate la cottura per altri 2 minuti o fino a quando lo stuzzicadenti non risulti asciutto.

9. Servite caldi decorati con panna e more.

Tortine di mele alle spezie

TEMPO DI PREPARAZIONE: 20 minuti

TEMPO DI COTTURA: 15 minuti

CALORIE: 155 calorie per tortina

MACRONUTRIENTI: CARBOIDRATI: 15 GR; PROTEINE: 1 GR; GRASSI 10 GR

INGREDIENTI PER 6 TORTINE

- Una mela
- Un uovo
- 90 ml di succo di mela
- Mezzo cucchiaino di lievito per dolci
- 60 gr di zucchero semolato
- Mezzo cucchiaino di cannella in polvere
- Noce moscata
- 50 ml di olio di oliva
- Una noce di burro
- Un pizzico di sale

PREPARAZIONE

1. Sbucciate la mela, privatela del torsolo e dei semi.
2. Lavatela sotto acqua corrente e poi asciugatela.
3. Grattugiate metà mela in una ciotola. Aggiungete alla mela grattugiata la farina, il lievito, un pizzico di sale, le spezie e l'olio d'oliva. Mescolate tutto assieme e quando sono ben amalgamate diluite il tutto con il succo di mela.

4. Continuate a mescolare fin quando non ottenete un composto ben amalgamato e omogeneo.

5. Imburrate e infarinate sei stampini da muffin. Versate equamente l'impasto nei sei stampini.

6. Tagliate a fettine sottili la mezza mela rimasta e mettete un ventaglietto di mela in ogni tortina.

7. Preriscaldate la friggitrice a 160° per un paio di minuti. Mettete nel cestello della friggitrice gli stampi di muffin e lasciate cuocere per 15 minuti.

8. Passati i 15 minuti estraete il cestello e fate la prova dello stuzzicadenti, se esce asciutto le tortine sono cotte.

9. Se volete che siano più dorate, aumentate la temperatura a 180° e lasciate cuocere per altri due minuti.

10. Potete servire le tortine ancora calde oppure leggermente tiepide decorandole con dei ciuffetti di panna montata.

Capitolo 3 - Spuntini e contorni

3.1 Ricette per gli spuntini

Sfogliatine spinaci e speck

TEMPO DI PREPARAZIONE: 15 minuti

TEMPO DI COTTURA: 15 minuti

CALORIE :480 Calorie a porzione

MACRONUTRIENTI: CARBOIDRATI: 32 GR; PROTEINE:24 GR; GRASSI: 36 GR

INGREDIENTI PER 8 SFOGLIATINE

- 1 rotolo di pasta sfoglia

- 120 gr di spinaci surgelati

- 150 gr di crescenza

- 150 gr di ricotta

- 1 uovo

- 50 ml di panna da cucina

- 50 gr di speck a dadini

- Sale

- Pepe

- Noce moscata

- Olio di oliva

PREPARAZIONE

1. In una pentola mettete a bollire dell'acqua salata. Giunta a bollore mettete a lessare gli spinaci.

2. Appena cotti, toglieteli dal fuoco e scolateli.

3. Nella ciotola del frullatore mettete assieme gli spinaci, la crescenza, la ricotta, la panna da cucina, l'uovo e un pizzico di sale, un po' di pepe e un pizzico di noce moscata.

4. Frullate il tutto fino ad ottenere un composto abbastanza cremoso.

5. Unite al composto 30 gr di speck tagliato a dadini.

6. Stendete su una spianatoia la pasta sfoglia e con un coppapasta ricavate 8 dischi da 12 cm di diametro ciascuno.

7. Spennellate con olio 8 stampini da crostatina, e poi ricoprite gli stampi con i dichi di pasta sfoglia.

8. Riempite le crostatine con il ripieno e poi distribuite sopra in maniera equa lo speck rimasto e i pinoli.

9. Mettete gli stampi nel cestello della friggitrice ad aria, impostate a 180° per 12 minuti.

10. Controllate la cottura e se non sono ancora cotte continuate per altri 3 minuti.

Tartellette salate alla fonduta

TEMPO DI PREPARZIONE: 15 minuti

TEMPO DI COTTURA: 5 minuti

CALORIE: 540 calorie a porzione

MACRONUTRIENTI: CARBOIDRATI: 36 GR; PROTEINE:18 GR; GRASSI: 49 GR

INGREDIENTI PER 6 STAMPINI

- Un rotolo di pasta sfoglia da 230 gr
- 50 gr di fontina
- 50 gr di taleggio
- 100 ml di latte
- Un uovo
- Noce moscata q.b.
- Sale q.b.
- Paprika q.b.

PREPARAZIONE

1. Iniziate con la pasta sfoglia. Tagliate la pasta sfoglia in 6 cerchi.
2. Imburrate 6 stampi da tartelletta e foderateli con i dischi di pasta sfoglia.
3. Bucherellate il fondo delle tartellette con una forchetta.
4. Impostate la friggitrice a 180°. Mettete le tartellette nel cestello della friggitrice e fate cuocere per 4 minuti.

5. Passato il tempo togliete gli stampini dalla friggitrice e lasciate le tartellette a riposare.
6. Adesso preparate il ripieno. Tagliate i due formaggi a dadini.
7. In una casseruola mettete a scaldare il latte con un pizzico di noce moscata.
8. Appena inizierà a fare le bollicine unite i due formaggi tagliati a cubetti e fateli fondere mescolando costantemente.
9. Unite l'uovo, aggiustate di sale, sempre continuando a mescolare e poi togliete dal fuoco.
10. Versate il composto nelle tartellette e spolverizzatele con la paprika.
11. Rimette nel cestello della friggitrice le tartellette, impostate sempre a 180° e fate cuocere per altri 2 minuti.
12. Passato il tempo controllate la cottura e se non si è ancora formata la crosticina sulle tartellette continuate per altri 2 minuti
13. Servite le tartellette calde.

Torta salata ai porri

TEMPO DI PREPARAZIONE: 10 minuti

TEMPO DI COTTURA: 15/18 minuti

CALORIE: 320 Calorie a porzione

MACRONUTRIENTI: CARBOIDRATI: 26 GR; PROTEINE: 13 GR; GRASSI: 22 GR

INGREDIENTI PER UNO STAMPO DI 12 CM

- Un rotolo di pasta sfoglia
- 400 gr di porri
- 25 gr di burro
- 2 uova
- 20 gr di parmigiano grattugiato
- 100 ml di panna da cucina
- Sale
- Pepe

PREPARAZIONE

1. Iniziate con il pulire i porri. Eliminate la parte verde e le foglie dure esterne. Lavateli, asciugateli e tagliateli in tante rondelle.
2. In un tegame fate fondere il burro. Appena inizia a sfrigolare mettete i porri e fateli insaporire a fuoco basso, in modo che si appassiscano senza prendere colore. Aggiustate di sale e pepe e toglieteli dal fuoco.
3. In una ciotola sbattete le uova con la panna e poi insaporiteli con una spolverata di sale e pepe.

4. Imburrate una teglia di 12 cm. Stendete la pasta ed eliminate l'eccesso di pasta laterale. Disponete all'interno i porri e cospargete il tutto con il mix di panna e uova.
5. Spolverizzate il tutto con il parmigiano grattugiato
6. Mettete la teglia direttamente nel cestello della friggitrice.
7. Impostare la friggitrice ad aria a 200° per 15 minuti. Mettere lo stampo nel cestello e passati i 15 minuti controllate la cottura. Se non è ancora cotta continuate per altri 2-3 minuti.

Torta salata con le erbette

TEMPO DI PREPARAZIONE: 20 minuti

TEMPO DI RIPOSO: 30 minuti

TEMPO DI COTTURA: 20 minuti

CALORIE: 370 Calorie a porzione

MACRONUTRIENTI: CARBOIDRATI: 26 GR; PROTEINE: 13 GR; GRASSI: 27 GR

INGREDIENTI PER UNO STAMPO DA 22 CM

INGREDIENTI PER LA PASTA

- 180 gr di farina 00
- 10 gr di prezzemolo
- 120 gr di burro
- 1 uovo

INGREDIENTI PER IL RIPIENO

- 30 gr di burro
- 1 porro
- 1 spicchio d'aglio
- 2 scalogni
- 1 ciuffo di prezzemolo
- 2 cucchiai di erba cipollina
- 2 cucchiai di aneto tritato
- 3 uova
- 250 ml di panna da cucina fresca

- 60 ml di latte
- 120 gr di fontina

PREPARAZIONE

1. Iniziate con il preparare l'impasto della torta salata. Mettete nella ciotola dell'impastatrice la farina, un ciuffo di prezzemolo, l'uovo, un cucchiaio colmo di acqua, e il burro.
2. Azionate il motore a velocità media e impastate per 5 minuti, finché l'impasto non risulti bene amalgamato.
3. Rovesciate la pasta su una spianatoia leggermente infarinata l'impasto e continuate ad impastare con le mani per un paio di minuti.
4. Formate adesso un panetto con la pasta, coprite con foglio di pellicola trasparente e mettete in frigo a riposare per 30 minuti.
5. Nel frattempo, passate a preparare il ripieno.
6. Pulite e tagliate a rondelle il porro.
7. Sbucciate e lavate gli scalogni e poi tagliateli a striscioline.
8. Lavate l'erba cipollina in acqua corrente e poi tagliatela in pezzetti piccoli.
9. Lavate e tritate l'aglio.
10. Mettete in una padella antiaderente il burro e lasciatelo sciogliere. Appena inizia a sfrigolare aggiungete il porro, l'aglio e gli scalogni. Appena iniziano ad imbiondire aggiungete il prezzemolo, l'erba cipollina e l'aneto tritato.
11. Aggiustate di sale

12. Cuocere per altri 5 minuti, poi togliere dal fuoco e lasciare le erbette a raffreddare.

13. Sbattete le uova insieme alla panna, il latte sale e pepe.

14. Togliete la pasta dal frigo, stendetela con un mattarello in modo da ottenere una sfoglia sottile.

15. Imburrate la teglia e mettete la pasta in modo da ricoprire bene il fondo e la parete della teglia. Schiacciatela bene nei bordi e togliete eventuale impasto in eccesso.

16. Riempite la pasta con il ripieno di erbette, poi versate il mix di latte, uova e panna e infine cospargete il tutto con la fontina grattugiata.

17. Mettete la teglia nel cestello o nella griglia della vostra friggitrice ad aria, impostate a 170 gradi per 20 minuti

18. Passato il tempo controllate la torta e se non è ancora abbastanza cotta continuate a cuocere per altri 2 minuti

19. Se il cestello della vostra friggitrice è piccolo potete optare per uno stampo da 12 centimetri e scegliere se fare due infornate oppure dimezzare semplicemente le dosi.

Torta salata zucchine e speck

TEMPO DI PREPARAZIONE: 15 minuti

TEMPO DI COTTURA: 12 minuti

CALORIE: 290 Calorie a porzione

MACRONUTRIENTI: CARBOIDRATI: 25 GR; PROTEINE: 11 GR; GRASSI: 15 GR

INGREDIENTI PER UNO STAMPO DA 12 CM

- 100 gr di pasta di pane
- 2 zucchine piccole
- 50 gr di pomodoro pelato
- Una mozzarella
- 40 gr di speck tagliato a fettine
- Origano q.b.
- Sale q.b.
- Pepe q.b.
- Olio di oliva q.b.

PREPARAZIONE

1. Togliete le estremità alle zucchine. Lavatele sotto acqua corrente e poi asciugatele con carta assorbente. Tagliatele a rondelle.
2. In un tegame mettete un filo d'olio, fate riscaldare e poi mettete le zucchine. Aggiustate di sale e pepe e fatele cuocere con un coperchio per 5 minuti.
3. Toglietele dal fuoco e lasciatele intiepidire.

4. Tagliate a cubetti la mozzarella

5. In una ciotola mettete assieme il pomodoro pelato, con un filo di olio, un pizzico di sale e pepe, una spolverata di origano. Mescolate con un cucchiaio di legno e poi aggiungete le zucchine e la mozzarella. Continuate a mescolare fino a quando non è tutto ben amalgamato.

6. Spennellate con un po' di olio lo stampo. Copritelo con la pasta di pane ed eliminate l'eccesso laterale. Riempite la pasta con il ripieno e poi coprite il tutto con le fette di speck.

7. Mettete lo stampo nel cestello della friggitrice, impostate la friggitrice a 180° per 10 minuti.

8. Controllate la cottura e se non risulta ancora cotta alzate a 200° e continuate per altri 2 minuti.

Tortine salate con pomodorini zucchine

TEMPO DI PREPARAZIONE: 15 minuti

TEMPO DI COTTURA: 10 minuti

CALORIE: 250 Calorie a porzione

MACRONUTRIENTI: CARBOIDRATI:22 GR; PROTEINE:8 GR; GRASSI: 9 GR

INGREDIENTI PER 4 TORTINE

- 1 uovo
- 70 gr di farina 00
- 1 cucchiaino di lievito istantaneo
- 40 ml di latte
- 30 ml di olio d'oliva
- 15 gr di parmigiano grattugiato
- 30 gr di scamorza
- 1 zucchina verde piccola
- 4 pomodorini
- Sale q.b.
- Pepe q.b.

PREPARAZIONE

1. Iniziate con la preparazione della zucchina. Lavatele sotto acqua corrente e poi tagliatela a cubetti.
2. Mettete un filo d'olio in una padella antiaderente fatelo riscaldare e appena è caldo mettete a soffriggere la zucchina per 6-7 minuti.

3. Lavate i pomodorini sotto acqua corrente e asciugateli.

4. Tagliate la scamorza a cubetti.

5. In una ciotola abbastanza grande mettete assieme il parmigiano, la scamorza il lievito e la farina e mescolate il tutto.

6. In un'altra ciotola mettete l'uovo, l'olio, il latte, sale e pepe e mescolate il tutto.

7. Trasferite nella ciotola con la farina il composto con latte e uova e mescolate rapidamente il tutto con una frusta manuale.

8. Unite adesso le zucchine e continuate a mescolare sempre velocemente.

9. Dividete il composto negli stampi da muffin ricordandovi di non riempirli completamente e di sbatterli un po' per distribuire bene il composto.

10. Mettete un pomodorino al centro di ogni tortina.

11. Posizionate gli stampini nel cestello della friggitrice e impostate la temperatura a 200° per 6 minuti.

12. Poi diminuite la temperatura a 180° e continuate a cuocere per altri 4 minuti

3.2 Ricette contorno

Polpettine di ricotta e basilico

TEMPO DI PREPARAZIONE: 5 minuti

TEMPO DI COTTURA: 10 minuti

CALORIE: 190 Calorie a porzione

MACRONUTRIENTI: CARBOIDRATI: 4 GR; PROTEINE: 18 GR; GRASSI: 12 GR

INGREDIENTI PER 4 PERSONE

- 500 g di ricotta vaccina
- 30 gr di basilico fresco tritato finemente
- 4 cucchiai di farina

- 2 cucchiai di erba cipollina tritata finemente
- 2 uova, separando tuorlo e albume
- 6 fette di pancarré
- Pepe macinato fresco q.b.
- Sale q.b.

PREPARAZIONE

1. Mescolate, in un recipiente, la ricotta con la farina, il tuorlo, 1 cucchiaino di sale e il pepe.
2. Aggiungete il basilico, l'erba cipollina e la buccia d'arancia.
3. Dividete il composto in 40 parti uguali e, con le mani inumidite, create delle polpettine.
4. Utilizzando il robot da cucina, ridurre le fette di pancarré in briciole finissime e aggiungervi l'olio d'oliva.
5. Versate il composto in un piatto fondo.
6. Sbattete leggermente l'albume in un altro piatto fondo.
7. Passate le palline di ricotta nell'albume e poi nel pane.
8. Preriscaldate la friggitrice ad aria a 200 °C.
9. Disponete le polpettine direttamente nel cestello della friggitrice.
10. Fatele cuocere per 8 minuti circa, verificando sempre il grado di cottura.
11. Cuocete le palline fino a quando non diventano dorate.
12. Servite calde.

Cubetti di patate filanti

TEMPO DI PREPARAZIONE: 15 minuti

TEMPO DI COTTURA: 8 minuti

CALORIE: 240 Calorie a porzione

MACRONUTRIENTI: CARBOIDRATI: 29 GR; PROTEINE: 5 GR;
GRASSI: 13 GR

INGREDIENTI PER 2 PERSONE

- 300 gr di patate ricche di amido
- Pepe macinato fresco q.b.
- 50 gr di parmigiano grattugiato
- 50 gr di pangrattato
- 2 cucchiai di erba cipollina tagliata finemente
- 1 tuorlo d'uovo
- 2 cucchiai di farina
- Un pizzico di Noce moscata
- 2 cucchiai di olio vegetale

PREPARAZIONE

1. Iniziare con le patate. Lavatele, asciugatele e poi tagliatele a cubetti.
2. Far bollire i cubetti di patate in acqua salata per 15 minuti.
3. Scolateli, schiacciateli con uno schiacciapatate e lasciateli raffreddare.
4. Aggiungete il tuorlo d'uovo, il formaggio, la farina e l'erba cipollina.
5. Mescolate bene e condite con sale, pepe e noce moscata.

6. Preriscaldate, nel frattempo, la friggitrice a 180 °C.

7. Ricavate delle specie di crocchette e passate nel pangrattato fino a ricoprirle completamente.

8. Inserite i cubetti nella friggitrice ad aria ed impostate il timer su 8 minuti.

9. Friggete i cubetti fino a quando non diventeranno dorati e croccanti.

10. Controllate sempre la cottura e scuotete di tanto in tanto il cestello.

11. Servire caldi e filanti.

Carciofi ripieni

TEMPO DI PREPARAZIONE: 15 minuti

TEMPO DI COTTURA: 20 minuti

CALORIE: 200 calorie a porzione

MACRONUTRIENTI: CARBOIDRATI 8 GR; PROTEINE 12 GR; GRASSI 10 GR

INGREDIENTI PER 2 PERSONE

- 2 carciofi
- 15 gr di pangrattato
- 15 gr di pecorino grattugiato
- 1 uovo
- 50 gr di tonno sott'olio
- 10 gr di capperi in salamoia
- 1 ciuffo di prezzemolo
- Alcune foglie di menta
- Sale
- Pepe
- Olio d'oliva

PREPARAZIONE

1. Iniziate con i carciofi. Tagliate le punte spinose ed eliminate le foglie più dure.
2. Allargate i carciofi aprendoli al centro, lavateli sotto acqua corrente e poi metteteli a scolare capovolti su carta assorbente.

3. Scolate il tonno dall'olio. Poi schiacciatelo con una forchetta.

4. Scolate i capperi e poi tritateli finemente.

5. Lavate e asciugate il prezzemolo e poi tritatelo finemente.

6. In una ciotola sbattete l'uovo. Poi aggiungete il pangrattato e il pecorino e mescolate il tutto.

7. Aggiungete il trito di capperi e prezzemolo, il tonno e un cucchiaio di olio d'oliva.

8. Regolate di sale e pepe e continuate a mescolare per amalgamare il tutto.

9. Spennellate un po' di olio in una pirofila e adagiatevi i carciofi. Salate leggermente l'interno dei carciofi e poi distribuitevi il ripieno.

10. Versate acqua tiepida nel fondo della pirofila e spruzzate dell'olio sui carciofi.

11. Mettete la pirofila nel cestello della friggitrice. Impostate la temperatura a 180° per 15 minuti.

12. Passato il tempo controllate i carciofi e se non sono ancora teneri continuate la cottura per altri 5 minuti.

Cestini di patate ripieni al prosciutto

TEMPO DI PREPARAZIONE: 40 minuti

TEMPO DI COTTUTRA: 12 minuti

CALORIE: 488 calorie a porzione

MACRONUTRIENTI: CARBOIDRATI: 30 GR; PROTEINE: 12 GR; GRASSI: 28 GR

INGREDIENTI PER 2 PERSONE

- 2 grosse patate
- 2 fette di prosciutto crudo di parma
- 50 gr di funghi champignon
- 1 scalogno
- 30 gr di grana grattugiato
- 1 rametto di rosmarino
- 100 ml panna da cucina
- Olio d'oliva
- Dado vegetale granulare
- 20 gr di burro fuso
- Olio d'oliva
- Sale
- pepe

PREPARAZIONE

1. Lavate le patate con tutta la buccia.

2. Riempite una casseruola con acqua fredda, immergetevi le patate, salate e fatele lessare per 30 minuti.

3. Controllate la cottura, devono essere morbide ma non troppo cotte.

4. Una volta pronte scolatele e lasciatele raffreddare.

5. Dividete le patate a metà, scavatele lasciando solo un piccolo strato sottile di polpa attaccato alla buccia.

6. Tagliate la polpa rimasta a dadini e mettetela da parte poiché servirà per preparare il ripieno.

7. Lavate il rosmarino, privatelo del gambo e tritate sottilmente le foglie.

8. Sbucciate gli scalogni, lavateli e poi affettateli a striscioline sottili.

9. Mettete sul fuoco una padella antiaderente con un filo d'olio. Fate riscaldare l'olio e poi aggiungete gli scalogni, un pizzico di sale un bicchiere d'acqua e un po' di dado vegetale.

10. Fate cuocere gli scalogni 5 minuti a fuoco basso.

11. Nel frattempo, pulite i funghi. Togliete la parte terrosa, lavateli sotto acqua corrente, asciugateli e tagliateli a fettine sottili.

12. Adesso unite i funghi agli scalogni, salateli e proseguite la cottura a fuoco vivo finché tutto il liquido dei funghi non sarà evaporato.

13. Togliete dal fuoco e aggiungete ai funghi un cucchiaio di olio di oliva, i dadini di patate. Mescolate bene il tutto e poi aggiungete le foglie tritate di rosmarino.

14. Imburrate una pirofila e mettete i due cestini di patate.

---

15. Spennellate i due cestini di patate con il restante burro fuso, foderatele con una fetta ciascuna di prosciutto crudo e spolverizzatele con il grana padano.

16. Continuate a riempire i cestini con il composto di patate e funghi.

17. Infine, ricopriteli con la panna da cucina e una spolverizzata di pepe.

18. Disponete la pirofila nel cestello della vostra friggitrice, impostate la temperatura a 200° per 10 minuti

19. Passato il tempo controllate i cestini e se non vi sembrano cotti continuate la cottura per altri 2 minuti.

20. Servite caldi e appena sfornati.

Cestini di patate con uovo e formaggio

TEMPO DI PREPARAZIONE: 1 ora

TEMPO DI COTTURA: 10 minuti

CALORIE: 418 calorie a porzione

MACRONUTRIENTI: CARBOIDRATI: 37 GR; PROTEINE 16 GR; GRASSI: 25 GR

INGREDIENTI PER 3 CESTINI DI PATATE

- 3 grosse patate
- 3 uova
- 3 fette di speck
- 30 gr di burro
- 60 gr di emmenthal grattugiato
- Sale q.b.
- Pepe q.b.

PREPARAZIONE

1. Iniziate la preparazione con le patate. Pulite e lavatele in acqua corrente con tutta la buccia.
2. Disponetele in una pentola coperte totalmente di acqua e sale. Lasciatele cuocere per circa 30-minuti. Le patate devono essere abbastanza al dente, in modo che quando si riempiono rimangano sode e compatte.
3. Scolate le patate, asciugatele con un panno da cucina e boi sbucciatele mentre sono ancora calde.

4. Lasciatele raffreddare e quando sono tiepide tagliate le calotte delle patate nel senso della lunghezza e mettetele da parte.

5. Scavate la parte inferiore della patata con un cucchiaio cercando di formare una cavità abbastanza grande da poter contenere un uovo.

6. Mettete 10 gr di burro in ciascuna barchetta di patate.

7. Immergete in ogni barchetta un uovo e insaporite con un pizzico di sale e pepe. Inserite lateralmente ad ogni barchetta una fetta di speck.

8. Cospargete ogni barchetta con 20 gr di emmenthal grattugiato.

9. Coprite le barchette con le calotte che avete messo da parte.

10. Salate e pepate le calotte e spennellatele con un po' di burro fuso.

11. Mettete della carta forno della stessa grandezza del cestello della friggitrice nel cestello.

12. Fate cuocere a 200° per circa 8 minuti. Se non vi sembrano ancora abbastanza cotte proseguite la cottura per altri 2 minuti.

13. Toglierle dal cestello e servirle calde.

Capitolo 4 - Maiale, agnello e manzo

4.1 Ricette di maiale

Costine di maiale alla paprika e rosmarino

TEMPO DI PREPARAZIONE: 5 minuti

TEMPO DI COTTURA: 20/25 minuti

CALORIE: 380 Calorie a porzione

MACRONUTRIENTI: CARBOIDRATI: 1 GR; PROTEINE: 29 GR; GRASSI: 34 GR

INGREDIENTI PER 2 PERSONE

- 6 Costine di maiale

- Sale q.b.

- Paprika q.b.

- Rosmarino q.b.

PREPARAZIONE

1. Preparate un miscuglio con la paprika, il sale, il rosmarino e mescolate.

2. Insaporite le costine con la paprika, il sale e il rosmarino.

3. Versate sul fondo del cestello mezzo bicchiere di acqua che impedirà al grasso di fare fumo (importantissimo leggere sempre le istruzioni della vostra friggitrice ad aria).

4. Adagiate le costine su entrambi i lati nel miscuglio preparato e mettetele direttamente sul cestello e azionate la friggitrice ad aria a 180°C per 20/25 minuti oppure con funzione carne.

5. Passati 10 minuti di cottura giratele direttamente sul cestello e proseguite la cottura per altri 10/15 minuti (i tempi variano a

seconda dello spessore e dimensione della carne di qualche minuto).

6. Servite calde.

Costine di maiale con alloro

TEMPO DI PREPARAZIONE: 10 minuti più 15 minuti di riposo

TEMPO DI COTTURA: 20/25 minuti

CALORIE: 400 Calorie a porzione

MACRONUTRIENTI: CARBOIDRATI: 1 GR; PROTEINE: 31 GR; GRASSI: 40 GR

INGREDIENTI PER 2 PERSONE

- 600 gr di Costine di maiale

- 4 foglie di Alloro

- 1 pizzico di Aromi misti in polvere

- Due cucchiaini di Olio extravergine d'oliva

- Sale q.b.

- Acqua q.b.

PREPARAZIONE

1. Lavate le costine e se, secondo voi contengono troppo grasso eliminatelo con un coltello.
2. Mettete le costine in una pentola, salate e coprite con abbondante acqua.
3. Fate lessare per 10 minuti da quando inizia il bollore. Scolatele e lasciatele raffreddare.

4. In una ciotola mettete l'olio con un pizzico di sale e gli aromi misti. Amalgamate bene sbattendo gli ingredienti con la forchetta.
5. Inserite le costine e lasciatele marinare per 15 minuti circa.
6. Dopo questo tempo di riposo prendete ogni singola costina, sgocciolatela e adagiatela sulla griglia della friggitrice ad aria
7. Spezzate le foglie di alloro inserirle tra una costina e l'altra.
8. Cuocete per 15 minuti a 160°.
9. Girate le costine e cuocete ancora per 10 minuti a 170°
10. Servite appena cotte.

Salsiccia e patate

TEMPO DI PREPARAZIONE: 2 minuti

TEMPO DI COTTURA: 30 minuti

CALORIE: 500 Calorie a porzione

MACRONUTRIENTI: CARBOIDRATI: 32 GR; PROTEINE: 21 GR; GRASSI: 39 GR

INGREDIENTI PER 2 PERSONE

- 4 Salsicce di suino

- 400 gr di patate

- spezie q.b.

- sale q.b.

- un cucchiaino olio di oliva

PREPARAZIONE

1. Bucherellare il budello con uno stuzzicadenti o una forchetta.

2. Se decidete di cuocere anche le patate come contorno, il consiglio è di pelare e tagliare le patate a spicchi e lasciarle in ammollo in acqua fredda per almeno 30 minuti, poi sciacquarle ed asciugarle

3. Metterle in una ciotola, aggiungere uno o due cucchiaini (dipende dalla quantità di patate) di olio di oliva, le spezie che preferite e mescolare bene.

4. Posizionate le patate nel cestello forato e cuocere a 200° C per 12-15 minuti; dopodiché aprire il cestello, scuotere per mescolare le patate ed aggiungete le salsicce in modo da appoggiarle nel cestello e non sulle patate.

5. Cuocere per 8 minuti a 200° C, poi aprire il cestello, mescolate le patate e girate le salsicce, continuate la cottura per altri 7-8 minuti a 200° C.

6. Salate le patate e servite insieme alla salsiccia.

Salsiccia zucchine e patate

TEMPO DI PREPARAZIONE: 5 minuti

TEMPO DI COTTURA: 15/20 minuti

CALORIE: 520 Calorie a porzione

MACRONUTRIENTI: CARBOIDRATI: 32 GR; PROTEINE: 22 GR; GRASSI: 41 GR

INGREDIENTI PER 2 PERSONE

- 250 gr salsiccia (se vi piace potete prenderla condita)

- 2 zucchine

- 2 patate medie

- 2 cucchiaini di Olio di oliva

- Sale q.b.

- Erbe aromatiche q.b.

PREPARAZIONE

1. Lavate le zucchine, asciugatele con carta assorbente e poi sbucciatele.

2. Dopodiché tagliatele a rondelle.

3. Pelate le patate, tagliatele a rondelle o a mezzaluna.

4. Mettete le zucchine e le patate in una ciotola capiente e condite con olio di oliva, sale, erbe aromatiche tritate e spezie.

5. Mescolate con le mani in modo da condirle in maniera uniforme.

6. Aggiungete la salsiccia tagliata a pezzetti e amalgamatela.

7. Non serve rivestire di carta forno il cestello della friggitrice ad aria: aggiungete salsiccia zucchine e patate, distribuite in maniera uniforme su tutta la superficie.

8. Azionate la friggitrice a 200° e cuocete per 12-15 minuti circa: non serve mescolare.

9. A cottura ultimata risulteranno croccanti e dorate le verdure, tenerissime le salsicce.

10. Gli ultimi minuti azionate anche la modalità grill per gratinarli.

11. Quando saranno croccanti fuori e morbide dentro potete sfornarle e servirle ancora calde.

4.2 Ricette di vitello

Polpette al formaggio

TEMPO DI PREPARAZIONE: 5 minuti più un'ora di riposo in frigo

TEMPO DI COTTURA: 8/10   minuti

CALORIE: 250 Calorie a porzione

MACRONUTRIENTI: CARBOIDRATI: 3 GR; PROTEINE: 38 GR;
GRASSI: 20 GR

INGREDIENTI PER 2 PERSONE

- 450 gr di manzo macinato
- 3 gr di sale

- pepe nero q.b.
- 6 ml di salsa Worcestershire
- 5 gr di senape
- 1 cipolla piccola grattugiata
- 1 uovo sbattuto
- 40 ml di olio d'oliva
- 4 fette di emmenthal

PREPARAZIONE

1. Mescolate insieme la carne macinata, il sale, il pepe nero, la salsa Worcestershire, la senape, la cipolla grattugiata e l'uovo fino a quando non saranno ben amalgamati.
2. Formate 4 polpette di manzo e lasciatelo riposare in frigorifero per 1 ora.
3. Fate preriscaldare la friggitrice ad aria a 180° C.
4. Strofinate le polpette con olio d'oliva e mettetele direttamente nel cestello della friggitrice preriscaldata.
5. Selezionate la funzione carne e regolate il tempo su 8 minuti circa.
6. Capovolgete le polpette a metà cottura per garantire una cottura uniforme.
7. Aggiungete le fette di formaggio emmenthal in ogni polpetta quando manca 1 minuto di cottura, in modo che si sciolgano.
8. Servite le vostre polpette calde

Braciole di vitello con erbe aromatiche

TEMPO DI PREPARAZIONE: 5 minuti

TEMPO DI COTTURA: 8/10   minuti

CALORIE: 180 Calorie a porzione

MACRONUTRIENTI: CARBOIDRATI:1 GR; PROTEINE: 30 GR; GRASSI: 6 GR

INGREDIENTI PER 2 PERSONE

- 2 braciole di vitello

- Mezza cipolla sbucciata

- 1 cucchiaio di olio extra vergine d'oliva

- 2 cucchiaini di erbe aromatiche

- Sale q.b.

- Pepe q.b.

PREPARAZIONE

1. Accendete la friggitrice ad aria calda e farla riscaldare impostando la temperatura a 180°C.

2. Sbucciate la cipolla e tagliatela ad anelli.

3. Mettete gli anelli nell'acqua fredda per almeno 5 minuti.

4. Metti gli anelli di cipolla, il sale, il pepe, le erbe e l'olio extra vergine di oliva direttamente sulla carne.

5. Mettete la carne nel cestello della friggitrice senza olio.

6. Impostare il *timer* di cottura a 10 minuti (tieni sempre d'occhio la cottura sia della carne che degli anelli di cipolla).

7. Servite il piatto ancora caldo.

Fettine di vitello impanate

TEMPO DI PREPARAZIONE: 10 minuti

TEMPO DI COTTURA: 8/10   minuti

CALORIE: 215 Calorie a porzione

MACRONUTRIENTI: CARBOIDRATI: 8 GR; PROTEINE: 20 GR; GRASSI: 8,2 GR

INGREDIENTI PER 2 PERSONE

- Fettine di vitello 400 gr

- 1uovo

- 40 gr di pangrattato

- sale q.b.

- cucchiai di olio extravergine d'oliva

- farina q.b.

PREPARAZIONE

1. Sgusciate l'uovo in un piatto e sbattetelo con la forchetta.

---

2. Mettete la farina e il pangrattato su due differenti piatti.

3. Passate la carne di vitello nella farina, poi nell'uovo e infine nel pangrattato.

4. Trasferite le fettine all'interno della friggitrice ad aria utilizzando l'apposito accessorio griglia.

5. Vaporizzarle con l'olio extravergine d'oliva (ma potete semplicemente ungerlo usando un cucchiaio) e avviare la cottura a 180 °C per 8/10 minuti girandole a metà cottura.

6. Regolate di sale e servire le fettine immediatamente ben calde.

Hamburger classici

TEMPO DI PREPARAZIONE: 10 minuti

TEMPO DI COTTURA: 7/8 minuti

CALORIE: 150 Calorie a porzione

MACRONUTRIENTI: CARBOIDRATI: 0 GR; PROTEINE: 19,20 GR; GRASSI: 8 GR

INGREDIENTI PER 2 PERSONE

- 300 g carne macinata di manzo
- 1 cucchiaio parmigiano grattugiato
- Erbe aromatiche e spezie q.b.
- Sale fino q.b.

PREPARAZIONE

1. Iniziate preparando gli hamburger mescolando, in una ciotola grande, la carne macinata, il sale, il parmigiano, il mix di spezie e le erbe aromatiche

2. Adagiate gli hamburger direttamente sul cestello della friggitrice ed azionate la friggitrice ad aria a 200 gradi oppure con la funzione "carne" e cuocete per 3-4 minuti per lato.

3. Servire gli hamburger caldi.

Polpette morbide

TEMPO DI PREPARAZIONE: 15 minuti

TEMPO DI COTTURA: 30 minuti

CALORIE: 450 Calorie a porzione

MACRONUTRIENTI: CARBOIDRATI: 21 GR; PROTEINE: 42 GR; GRASSI: 13 GR

INGREDIENTI PER 4 PERSONE

- 400 g carne di manzo macinata

- 150 g mollica di pangrattato

- 2 uova piccole

- 35 g parmigiano grattugiato

- 1 patata media

- 1 ciuffo Prezzemolo

- 4 Patate (per contorno)

- 150 g provola affumicata

- Sale q.b.

- Olio di oliva q.b.

- Erbe aromatiche q.b.

PREPARAZIONE

1. In una ciotola unite la carne, l'uovo, il parmigiano, il prezzemolo tritato e il sale.

2. Aggiungete il pangrattato all'impasto.

3. Pelate e grattugiate la patata con una grattugia a fori grandi, da cruda.

4. Impastate con le mani amalgamando bene tutti gli ingredienti. Fate delle polpettine di dimensioni di una pallina da ping-pong.

5. Sistemate le polpettine direttamente sul cestello ungendo o spruzzando dell'olio

6. Aggiungete una tazzina di acqua sul fondo della friggitrice: impedirà che la cottura della carne possa creare un po' di odore o fumo.

7. Fate cuocere per 5 minuti a 180° girandole dopo un paio di minuti.

8. Nel frattempo, pelate le patate, lavatele con cura e tagliatele a dadini non troppo grandi.

9. Insaporirle con aromi, poco olio (1-2 cucchiaini sono sufficienti) e sale fino. Mescolatele con le mani.

10. Aggiungete le patate e cuocete ancora per 12-15 minuti innalzando la temperatura a 200° fino a cottura delle patate, mescolando di tanto in tanto.

11. A cottura ultimata potete aggiungere i dadini di provola affumicata sulle polpettine con patate e farle cuocere un paio di minuti giusto il tempo che si sciolgano.
12. Servire il piatto caldo.

Polpette al vino bianco

TEMPO DI PREPARAZIONE: 10 minuti

TEMPO DI COTTURA: 10 minuti

CALORIE: 220 Calorie a porzione

MACRONUTRIENTI: CARBOIDRATI: 12 GR; PROTEINE: 31 GR; GRASSI: 10 GR

INGREDIENTI PER 2 PERSONE

- 200 gr carne bovina macinata

- 1 uovo

- 1 patata piccola

- 50 gr di pangrattato

- 1 ciuffo Prezzemolo

- 75 ml vino bianco secco

- 15 g parmigiano grattugiato

- Sale fino q.b.

- Noce moscata q.b.

- Olio di oliva q.b.

PREPARAZIONE

1. Mettete la carne in una ciotola.

2. Aggiungete l'uovo e il pangrattato.

3. Unite il parmigiano o grana grattugiati, il prezzemolo tritato, il sale, la noce moscata.

4. Infine, aggiungete la patata cruda grattugiata con una grattugia a fori piccoli, fino ad ottenere una purea.

5. Impastate con le mani fino ad amalgamare bene tutti gli ingredienti.

6. Preriscaldare la friggitrice ad aria a 180° e fate cuocere le vostre polpette per 10 minuti girandole a metà cottura.

7. Servire le polpette ancora calde.

4.3 Ricette di agnello

Abbacchio con patate

TEMPO DI PREPARAZIONE: 10 minuti

TEMPO DI COTTURA: 40/45 minuti

CALORIE: 370 Calorie a porzione

MACRONUTRIENTI: CARBOIDRATI: 17,90 GR PROTEINE: 40,24 GR GRASSI: 8,9 GR

INGREDIENTI PER 4 PERSONE

- Abbacchio a pezzi (450 gr)
- Olio di oliva q.b.
- Patate (500 gr)

- Un rametto di timo
- Un rametto di rosmarino
- Vino bianco (100 ml)
- Sale q.b.
- Pepe q.b.

PREPARAZIONE

1. In una pirofila grande abbastanza da poter essere piazzata nella vostra friggitrice ad aria mettere la carne con un po' di olio, timo, rosmarino, sale e vino bianco e farla cuocere, col programma grill per 10 minuti a 180 gradi.

2. Inserite poi le patate già tagliate a pezzi e condite con sale e pepe e proseguite la cottura per un'altra mezz'ora.

3. Controllate un paio di volte la cottura, scuotendo il cestello e mescolando.

4. Se lo ritenete opportuno alzate la temperatura a 200 gradi.

5. Servire caldo

Costolette di agnello e patate

TEMPO DI PREPARAZIONE: 15 minuti

TEMPO DI COTTURA: 25/30 minuti

CALORIE: 650 Calorie a porzione

MACRONUTRIENTI: CARBOIDRATI: 8,5 GR; PROTEINE: 41 GR; GRASSI: 35 GR

INGREDIENTI PER 2 PERSONE

- Costolette d'agnello 400 gr

- Patate 100 gr

- 1 manciata di sale

- 5 cucchiai di Olio extravergine

- 1 rametto di rosmarino

- Pepe q.b.

PREPARAZIONE

1. Marinate le vostre costolette per 15 minuti con un 3 cucchiai di olio, il rosmarino e il sale.

2. aggiungete le patate già tagliate a pezzi e condite con i restanti due cucchiai di olio sale e pepe.

3. Impostate la cottura sul programma grill a 180 gradi.

4. Cuocere per 20/30 minuti.

5. Controllate un paio di volte la cottura, scuotendo il cestello e mescolando.

6. Servite le vostre costolette calde

Capitolo 5 - Ricette pollame

Spinacine di pollo

TEMPO DI PREPARAZIONE: 30 minuti

TEMPO DI COTTURA: 10/15 minuti

CALORIE: 310 Calorie a porzione

MACRONUTRIENTI: CARBOIDRATI: 13 GR; PROTEINE: 16 GR; GRASSI: 15 GR

INGREDIENTI PER 3 PERSONE

- 400 gr petto di pollo

- 150 gr di spinaci (peso degli spinaci già lessati e sgocciolati)

- 30 gr di parmigiano

- 2 uova

- sale q.b.

- pangrattato q.b.

- olio di oliva q.b.

PREPARAZIONE

1. Lessate il petto di pollo a fette in una padella oppure in pentola, ricoprendolo di acqua.

2. Aggiungete un pizzico di sale e ultimate la cottura.

3. Lessate gli spinaci oppure fateli scongelare, se usate quelli surgelati.

4. Fateli sgocciolare bene: questo passaggio è molto importante per evitare che l'impasto risulti troppo acquoso e molle.

5. Frullate in un mixer gli spinaci e poi il pollo riducendoli entrambi in purea.

6. Unite in una ciotola gli spinaci, il pollo, le uova il parmigiano, il sale.

7. Mescolate con un cucchiaio fino ad amalgamare tutti gli ingredienti ed ottenere un composto morbido e compatto.

8. Formare delle palline dividendo l'impasto in parti uguali e pressarle in modo da fargli prendere forma.

9. Dopo aver formato le spinacine passatele nel pangrattato.

10. Adagiarle e spruzzarle con olio di oliva sulla friggitrice ad aria precedentemente riscaldata a 200° C e farle cuocere per circa 10 minuti, girandole a metà cottura, fino a doratura completa.

11. Se necessario, prolungare la cottura.

12. Servite calde

Pollo ripieno

TEMPO DI PREPARAZIONE: 10 minuti

TEMPO DI COTTURA: 15/18 minuti

CALORIE: 370 Calorie a porzione

MACRONUTRIENTI: CARBOIDRATI: 11 GR; PROTEINE: 32 GR; GRASSI: 19 GR

INGREDIENTI PER 2 PERSONE

- 4 fette di petto di pollo
- pangrattato, parmigiano, ed erbe aromatiche q.b.
- olio di oliva q.b.
- sale fino q.b.
- 4 fette di prosciutto cotto
- 4 fette di formaggio tipo provola

PREPARAZIONE

1. Preparate la panatura mettendo in una ciotola il parmigiano, il pangrattato e le erbe aromatiche.

2. Passate le fettine di petto di pollo nella panatura, facendo in modo che aderisca perfettamente e, quindi, facendo una leggera pressione con il palmo della mano.

3. Adagiate le cotolette sul cestello della friggitrice ad aria precedentemente oleato.

4. Impostate la friggitrice ad aria a 180°C e cuocete le fettine 5 minuti per lato, girandole e, se necessario, cospargete con un po' di olio d'oliva per evitare che si attacchino.

5. Servite le fettine quando saranno ben dorate ed il formaggio filante.

Pollo ai funghi

TEMPO DI PREPARAZIONE: 8 minuti

TEMPO DI COTTURA: 8/10 minuti

CALORIE: 230 Calorie a porzione

MACRONUTRIENTI: CARBOIDRATI: 8 GR; PROTEINE: 20 GR; GRASSI: 9 GR

INGREDIENTI PER 3 PERSONE

- 600 gr petto di pollo
- 350 gr di funghi champignon
- pangrattato q.b.
- origano q.b.
- timo q.b.
- prezzemolo q.b.
- spezie (miste a piacere) q.b.
- olio d'oliva q.b.
- sale q.b.

PREPARAZIONE

1. Pulite i funghi eliminando la parte con il terriccio, strofinarli bene con un panno.
2. Tagliarli a pezzetti non troppo piccoli e metteteli in una ciotola.
3. Pulite il petto di pollo e tagliatelo a straccetti o a bocconcini e mettete anch'esso nella ciotola.

4. Condite il pollo e i funghi con un pizzico di sale, una manciata di erbe aromatiche (secche, oppure fresche se le avete) e un cucchiaino di spezie.

5. Ungete il tutto con un cucchiaio circa di olio extravergine, e mescolate bene in modo che il condimento sia distribuito in modo uniforme.

6. Cospargere un po' di pangrattato.

7. Versate tutto quanto nel cestello della friggitrice, che avrete preriscaldato a 200° C, per un paio di minuti.

8. Impostare il *timer* a 8 minuti di cottura.

9. Dopo 5-6 minuti scuotere un po' gli ingredienti, poi proseguite la cottura. Se necessario, potete prolungare di altri 2 minuti.

10. Servire il piatto caldo

Pollo cremoso

TEMPO DI PREPARAZIONE: 10 minuti

TEMPO DI COTTURA: 10 minuti

CALORIE: 300 Calorie a porzione

MACRONUTRIENTI: CARBOIDRATI: 4 GR; PROTEINE: 20 GR; GRASSI: 15 GR

INGREDIENTI PER 2 PERSONE

- 400 gr di Petto di pollo:
- 200 gr di funghi champignon
- 100 gr di Panna da cucina:
- 1 Scalogno
- Olio di oliva q.b.
- Sale e pepe q.b.

PREPARAZIONE

1. Tagliate il pollo a cubetti e gli champignon a fette.
2. Condite entrambi con sale e pepe.
3. Nel frattempo, fate soffriggere lo scalogno con un po' d'olio per qualche minuto.
4. Versare direttamente gli ingredienti (lo scalogno appena dorato, i fungi e il pollo) nel cestello della friggitrice ad aria, precedentemente preriscaldata a 200 gradi.
5. Spruzzare la superficie con dell'olio di oliva.
6. Fate cuocere per almeno 10 minuti, verificando la cottura del pollo e dei funghi.

7. Aggiungete infine la panna a cottura ultimata finché la salsa non si sarà addensata.

8. Servire il pollo cremoso ben caldo

Pollo con patate e peperoni

TEMPO DI PREPARAZIONE: 5 minuti + 10 minuti di riposo

TEMPO DI COTTURA: 15/20 minuti

CALORIE: 470 Calorie a porzione

MACRONUTRIENTI: CARBOIDRATI: 41 GR; PROTEINE: 34 GR; GRASSI: 11 GR

INGREDIENTI PER 2 PERSONE

- 300 gr di petto di pollo
- 400 gr di patate
- 2 peperoni
- 1 cipolla
- 1 cucchiaio di olive (verdi o nere)
- 1 cucchiaino di paprika dolce
- 1 cucchiaio di pangrattato
- Origano q.b.
- olio d'oliva q.b.
- succo di limone q.b.
- sale e pere q.b.

PREPARAZIONE

1. Lavate le patate, sbucciarle e tagliarle a tocchetti.

2. Lavate anche i peperoni, eliminate i semi interni e tagliateli a pezzetti.

3. Prendete una teglia apposita per la friggitrice ad aria (o in alternativa il cestello stesso), rivestitela con carta da forno, o oliate bene, e distribuite al suo interno le patate e i peperoni.

4. Salare e ungere ancora con un filo di olio extravergine.

5. Mettete le verdure nella friggitrice ad aria e fate cuocere a 180 gradi per 5 minuti.

6. Nel frattempo, pulite il petto di pollo da ossicini e nervetti, e tagliatelo a cubetti abbastanza grandi.

7. Mettere la carne in una ciotola, aggiungere sale, pepe, paprika e origano.

8. Unite la cipolla, tagliata a rondelle spesse, le olive, un filo di olio e una spruzzata di succo di limone.

9. Mescolare bene, aggiungete anche il pangrattato e lasciate insaporire un paio di minuti (il tempo della prima cottura delle verdure).

10. Quando saranno trascorsi i 5 minuti, togliete la teglia dalla friggitrice e distribuite tra le verdure i pezzetti di pollo con la cipolla e gli aromi.

11. Mettete di nuovo nella friggitrice ad aria, e proseguite la cottura per altri 10/15 minuti scuotendo di tanto in tanto il cestello e verificando il grado di cottura.

Petto di pollo rucola e pomodorini

TEMPO DI PREPARAZIONE: 5 minuti + 20 minuti per marinare

TEMPO DI COTTURA: 15/20 minuti

CALORIE: 280 Calorie a porzione

MACRONUTRIENTI: CARBOIDRATI: 9 GR; PROTEINE: 30 GR; GRASSI: 6 GR

INGREDIENTI PER 2 PERSONE

- 400 gr di petto di pollo
- cucchiai di aceto balsamico più quello per condire l'insalata
- rucola q.b.
- 8 pomodorini
- 1 cucchiaio di farina
- Mix di spezie q.b.
- 1 cipollotto
- olio d'oliva q.b.
- sale q.b.

PREPARAZIONE

1. Pulire il petto di pollo eliminando ossicini e nervetti.
2. Tagliarlo a straccetti o a bocconcini.
3. Passate poi la carne nella farina.
4. Salate il pollo e conditelo con il mix di spezie e l'aceto balsamico.
5. Fatelo marinare per qualche minuto.

6. Preriscaldare nel frattempo la friggitrice ad aria per 5 minuti a 200° C.
7. Inserite il pollo e il cipollotto tagliato a pezzetti e spruzzate la superficie con un po' d'olio.
8. Fate cuocere per 10/12 minuti, verificando spesso la cottura.
9. Quando sarà pronto servire con pomodorini (precedentemente lavati e tagliati) e rucola conditi con un filo d'olio e aceto balsamico.

Bastoncini di pollo al sesamo

TEMPO DI PREPARAZIONE: 5 minuti + 10 minuti di riposo

TEMPO DI COTTURA: 15/20 minuti

CALORIE: 200 Calorie a porzione

MACRONUTRIENTI: CARBOIDRATI: 12 GR; PROTEINE: 16 GR; GRASSI: 3 GR

INGREDIENTI PER 3 PERSONE

- 400 gr di petto di pollo disossato
- 1 cucchiaio di salsa di soia
- pizzico di zenzero in polvere
- 1 cucchiaio di semi di sesamo
- 1 cucchiaio di semi di sesamo nero
- 1 cucchiaio di fiocchi di avena
- olio di sesamo (o olio di semi di arachide) q.b.
- sale q.b

PREPARAZIONE

1. Dopo aver pulito la carne di pollo tagliarla a bastoncini.

2. Mettete il pollo in una ciotola, aggiungete la salsa di soia, lo zenzero e un filo di olio di sesamo.

3. Mescolate, coprite con una pellicola e lasciate insaporire per circa 15-20 minuti.

4. Preparare intanto un piatto o un vassoio con i semi di sesamo bianco e nero miscelati con i fiocchi d'avena.

5. Se non avete i fiocchi d'avena, potete ometterli o sostituirli con poco pangrattato.

6. Sgocciolare i bastoncini di pollo dalla marinata e passarli nei semi, pressando leggermente.

7. Tutta la superficie dovrà essere cosparsa con il sesamo.

8. Sistemate il pollo nel cestello della friggitrice ad aria che andrete ad impostare a 170° C.

9. Fate cuocere per 15 minuti circa, controllando la cottura di tanto in tanto.

10. Servire i bastoncini di pollo ancora caldi

Sotto cosce di pollo marinate

TEMPO DI PREPARAZIONE: 5 minuti + 20 minuti di marinatura

TEMPO DI COTTURA: 15/20 minuti

CALORIE: 250 Calorie a porzione

MACRONUTRIENTI: CARBOIDRATI: 14 GR; PROTEINE: 28 GR; GRASSI: 8 GR

INGREDIENTI PER 2 PERSONE

- 4 sotto cosce di pollo
- 1 spicchio di aglio schiacciato
- 1 cucchiaino di peperoncino in polvere
- 1 cucchiaio di senape
- Pepe nero macinato fresco
- 2 cucchiaini di zucchero di canna

PREPARAZIONE

1. Preriscaldare la friggitrice ad aria a 200 °C.
2. Nel frattempo, mescolate l'aglio con la senape, lo zucchero di canna e il peperoncino in polvere.
3. Aggiungete un pizzico di sale e pepe a piacere.
4. Mescolare il tutto con l'olio.
5. Immergete completamente le sotto cosce di pollo nella marinata e lasciatele marinare per 20 minuti.
6. Passato il tempo della marinatura, mettete il pollo nel cestello oliato della friggitrice.

7. Impostare il *timer* su 10 minuti.

8. Arrostite le sotto cosce fino a quando non diventano dorate.

9. Abbassare quindi la temperatura a 150 °C e arrostire le sotto cosce per altri 10 minuti fino a cottura ultimata.

10. Servire il pollo caldo.

Capitolo 6 - Ricette vegane e vegetariane

6.1 Ricette vegane

Zucca arrosto

TEMPO DI PREPARAZIONE: 10 minuti
TEMPO DI COTTURA: 12 minuti

CALORIE: 75 Calorie a porzione

MACRONUTRIENTI: CARBOIDRATI: 7 GR; PROTEINE: 2 GR; GRASSI: 7 GR

INGREDIENTI PER DUE PERSONE

- 1 zucca bianca, sbucciata
- 15 ml di olio d'oliva
- 1 gr di foglie di timo
- 6 gr di sale
- 1 gr di pepe nero

PREPARAZIONE

1. Selezionate il pulsante di preriscaldamento sulla friggitrice o regolate su 180° C.
2. Fate preriscaldare la friggitrice per 2/3 minuti.
3. Ricoprite i cubetti di zucca con olio d'oliva e condite con timo, sale e pepe.
4. Aggiungete la zucca alla friggitrice preriscaldata.
5. Selezionate il programma verdure e fate cuocere per dieci minuti.
6. Assicurarsi di scuotere i cestelli a metà cottura e di controllare lo stato di cottura.
7. Condite con olio d'oliva a cottura ultimata e servite.

Peperoni arrosto

TEMPO DI PREPARAZIONE: 2 minuti

TEMPO DI COTTURA: 18/20 minuti

CALORIE: 60 Calorie a porzione

MACRONUTRIENTI: CARBOIDRATI: 4.5 GR; PROTEINE: 1 GR; GRASSI: 2,5 GR

INGREDIENTI PER 4 PERSONE

- 4 peperoni
- 10 ml di olio
- Sale e pepe q.b.

PREPARAZIONE

1. Lavate bene i peperoni, scegliendo quelli perfetti e senza ammaccature.

2. Asciugateli con cura tamponando la superficie.

3. Non serve tagliarli né togliere picciolo e semi.

4. Sistemate i peperoni direttamente sul cestello della friggitrice ad aria.

5. Azionate e cuocete a 200° C per 18 minuti girandoli un paio di volte.

6. Vi accorgerete della cottura quando, andandoli a toccare, risulteranno morbidi.

7. A questo punto i peperoni arrostiti sono pronti per essere spellati e conditi con olio, sale e pepe o come più preferite.

Peperoni arrosto in agrodolce

TEMPO DI PREPARAZIONE: 10 minuti

TEMPO DI COTTURA: 25 minuti

CALORIE: 180 Calorie a porzione

MACRONUTRIENTI: CARBOIDRATI: 8 GR; PROTEINE: 6 GR; GRASSI: 8 GR

INGREDIENTI PER 6 PERSONE

- 1 peperone grande rosso con polpa spessa
- 1 peperone grande giallo con polpa spessa
- mezza tazza di uvetta disidratata
- mezza tazza di aceto di mele
- 4 cucchiai di mandorle
- sale e pepe q.b.
- 1 gr di aglio in polvere
- olio d'oliva q.b

PREPARAZIONE

1. Lavate bene i peperoni

2. Asciugateli con cura tamponando la superficie.

3. Sistemate i peperoni direttamente sul cestello della friggitrice ad aria.

4. Azionate e cuocete a 200° per 18/20 minuti, girandoli un paio di volte.

5. Nel frattempo che i peperoni cotti si raffreddino, lasciare l'uvetta a bagno nell'aceto di mele e tritate le mandorle a lamelle.

6. Una volta spellati e i rimossi i semi dei peperoni, tagliateli a pezzetti e disponeteli in una pirofila a bordi alti.

7. Condite la superficie con sale e pepe, aggiungete l'uvetta e le mandorle

8. Aggiungete infine l'olio e il pizzico di aglio in polvere.

9. Coprite la pirofila con pellicola trasparente e fate riposare in frigorifero, nel ripiano meno freddo, per una notte.

10. Ricordatevi di servire i peperoni a temperatura ambiente

Barbabietole arrosto

TEMPO DI PREPARAZIONE: 2 minuti

TEMPO DI COTTURA: 15 minuti

CALORIE: 70 Calorie a porzione

MACRONUTRIENTI: CARBOIDRATI: 10 GR; PROTEINE: 1 GR; GRASSI: 2 GR

INGREDIENTI PER 4 PERSONE

- 4/5 Barbabietole
- Sale fino q.b.
- 3/4Olio di oliva

PREPARAZIONE

1. Per prima cosa, pelare e tagliate a fettine sottili le barbabietole.
2. Conditele con i cucchiai di olio d'oliva
3. Inseritele nel cestello della friggitrice ad aria e cuoceteli per circa 15 minuti ad una temperatura di 180 ° C (funzione Verdure).
4. Verificare la cottura ed in caso aumentare i minuti.
5. Fate raffreddare e servire.

6.2 Ricette vegetariane

Pane all'aglio

TEMPO DI PREPARAZIONE: 5 minuti

TEMPO DI COTTURA: 6/8 minuti

CALORIE: 350 Calorie a porzione

MACRONUTRIENTI: CARBOIDRATI: 24 GR; PROTEINE: 2 GR;
GRASSI: 10 GR

INGREDIENTI PER 4 PERSONE

- 1 baguette francese
- 4 spicchi d'aglio tritati
- 40 g di burro a temperatura ambiente

- 10 ml di olio d'oliva
- 15 gr di parmigiano grattugiato
- 8 gr di prezzemolo appena tritato

PREPARAZIONE

1. Tagliate la baguette a metà per lungo, poi ogni pezzo a metà larghezza creando quattro fette lunghe circa 152 mm.
2. Preriscaldare la friggitrice ad aria a 160° C per 3 minuti circa.
3. Unite aglio, burro e olio d'oliva per formare una pasta. Distribuire uniformemente la pasta sul pane e cospargerla di parmigiano.
4. Mettete il pane nella friggitrice preriscaldata.
5. Appena cotto guarnire con prezzemolo fresco tritato al termine della cottura.

Tortine al mais e formaggio

TEMPO DI PREPARAZIONE: 8 minuti

TEMPO DI COTTURA: 15 minuti

CALORIE: 210 Calorie a porzione

MACRONUTRIENTI: CARBOIDRATI: 16 GR; PROTEINE: 8 GR; GRASSI: 9 GR

INGREDIENTI PER 3 PERSONE

- 60 gr di farina 00
- 80 gr di farina di mais
- 35 gr di zucchero bianco
- 6 gr di sale
- 6 gr di lievito in polvere
- 115 ml di latte
- 45 gr di burro fuso
- 1 uovo
- 165 gr di mais
- 3 scalogni tritati
- 120 gr di formaggio cheddar grattugiato
- Spray da cucina antiaderente

PREPARAZIONE

1. Unite farina, farina di mais, zucchero, sale e lievito in una ciotola e mescolate.
2. Sbattete insieme latte, burro e uova fino a quando non saranno ben combinati.

3. Mescolate gli ingredienti secchi in ingredienti umidi.

4. Unite mais, scalogno e formaggio cheddar.

5. Preriscaldate la friggitrice a 170 ° C.

6. Ungete gli stampini con lo spray da cucina e versare la pastella finché non le riempite fino a ¾.

7. Aggiungete le tortine nella friggitrice preriscaldata.

8. Selezionate la funzione Pane ed impostare il *timer* a 15 minuti.

9. Servire le tortine tiepide.

Frollini al formaggio

TEMPO DI PREPARAZIONE: 6 minuti

TEMPO DI COTTURA: 10/12 minuti

CALORIE: 420 Calorie a porzione

MACRONUTRIENTI: CARBOIDRATI: 24 GR; PROTEINE: 17 GR; GRASSI: 34 GR

INGREDIENTI PER 2 PERSONE

- 5 gr di lievito per dolci
- 5 gr di sale rosa dell'Himalaya
- 5 gr di zucchero
- 1 gr di bicarbonato di sodio
- 200 gr di farina per tutti gli usi
- 110 gr di burro non salato raffreddato e tagliato in pezzi
- 60 gr di formaggio emmenthal grattugiato
- 112 gr di latticello freddo
- Burro sciolto, da spazzolare

PREPARAZIONE

1. Setacciate il lievito, il sale dell'Himalaya, lo zucchero, il bicarbonato e la farina.
2. Tagliate il burro freddo usando un frullatore o una frusta da cucina finché non sarà a pezzi più piccoli.
3. Mescolate il formaggio emmenthal e il latticello per far diventare l'impasto morbido.
4. Unite il burro alle parti solide e mescolare.

5. L'impasto ottenuto dovrebbe sembrare asciutto.
6. Formate l'impasto in un quadrato spesso 13 mm.
7. Preriscaldate la friggitrice a 180° C.
8. Tagliate i biscotti rotondi usando un taglierino.
9. Rivestite il cestello della friggitrice preriscaldata con carta da forno.
10. Spennellate i biscotti con burro fuso e metterli sopra la carta da forno.
11. Cuocere i biscotti a 175° C per 12 /15 minuti.
12. Verificare sempre lo stato della cottura
13. Servire i biscotti tiepidi.

Melanzane ripiene

TEMPO DI PREPARAZIONE: 15 minuti

TEMPO DI COTTURA: 40/55 minuti

CALORIE: 205 Calorie a porzione

MACRONUTRIENTI: CARBOIDRATI: 13 GR; PROTEINE: 10 GR; GRASSI: 11 GR

INGREDIENTI PER 4 PERSONE

- 2 melanzane lunghe

- 150 gr pomodorini di pachino

- 60 gr olive nere denocciolate

- 50 gr di grana

- 3 foglie basilico fresco

- 1 ciuffo Prezzemolo

- Olio di oliva q.b

- Sale q.b.

PREPARAZIONE

1. Lavate le melanzane e svuotatele usando un coltello.

2. Tagliate a dadini la parte interna che avete prelevato e mettetela in una padella assieme a poco olio.

3. Fatela rosolare aggiungendo sale e poca acqua in modo che si cuociano e risultino morbide e ben cotte.

4. Nel frattempo, cuocete le melanzane in una padella con poca acqua, in modo che si ammorbidiscano.

5. Puntellatele con una forchetta dopodiché scolatele e tamponatele con un panno asciutto.

6. Preparate gli ingredienti del ripieno: pomodorini a pezzetti, olive nere sminuzzate, scaglie di grana, basilico e prezzemolo tritati, sale e olio di oliva.

7. Mescolate bene dopodiché unite anche il ripieno della melanzana.

8. Riempitele una ad una con il ripieno preparato.

9. Adagiate le melanzane sul cestello della friggitrice ad aria precedentemente riscaldato a 180° C per 20 minuti, poi verificate la cottura ed in caso potete cuocerle altri 10 minuti, sempre in modalità grill.

10. Servire calde

Conclusioni

Per concludere il discorso sulla friggitrice ad aria si può affermare che sia una delle migliori invenzioni sia a livello di tecnologia che di alimentazione degli ultimi anni.

Si può inoltre affermare che è possibile cucinare una miriade di ricette che solitamente siamo abituati a fare fritti, o al forno, senza particolari difficoltà, ottenendo lo stesso identico risultato.

Diventa quindi un acquisto fondamentale poiché non è solamente un'ottima alleata in cucina, ma anche della nostra salute stessa.

CPSIA information can be obtained
at www.ICGtesting.com
Printed in the USA
BVHW072154270421
605946BV00001BB/205